Leis an údar céanna

Na Cailleacha Gránna (An Gúm, 1995)

Ceol na gCat (Cló Mhaigh Eo, 1995)

Róisín ar Strae (An Gúm, 1996)

An Ceamara (An Gúm, 1996)

Drochlá Ruairí (Cló Mhaigh Eo, 1996)

Ruairí sa Zú (Cló Mhaigh Eo, 1997)

Hé, a Ruairí!

Colmán Ó Raghallaigh

Maisithe ag Anne Marie Carroll

CLÓ MHAIGH EO

Foilsithe ag Cló Mhaigh Eo,
Clár Chlainne Mhuiris,
Co. Mhaigh Eo,
Éire.

ISBN 1 8999 22 03 2

Dearadh: Reality Design, Gaillimh.
Clóbhuailte in Éirinn ag Clódóirí Lurgan Teo.

Buíochas le Bord na Gaeilge, Ray Mc Donnell, Bríd Uí Éineacháin, Diarmuid Johnson agus Ré Ó Laighléis.

Faigheann Cló Mhaigh Eo cabhair ó Bhord na Leabhar Gaeilge

Clár

Do Áine, Treasa agus Séamus.

Do Ray le grá ó Áine Máire.

Cuairt ar an Leabharlann

Bhí Ruairí ar a bhealach abhaile ón siopa nuair a chonaic sé Máirtín ag teacht agus leabhar mór faoina ascaill aige.

'Cén scéal?' arsa Máirtín.

'Diabhal scéal,' arsa Ruairí, 'ach cá bhfuil tú ag dul leis an leabhar sin?'

'Tá mé ag dul chuig an leabharlann. An dtiocfaidh tú liom?'

'Tiocfaidh,' arsa Ruairí. 'Ní raibh mé sa leabharlann riamh.'

Bhí iontas ar Mháirtín.

'Tar uait mar sin,' ar seisean.

Shiúil siad ar aghaidh agus níorbh fhada gur bhain siad amach an leabharlann.

'Caithfimid bheith

ciúin anois,' arsa Máirtín agus iad ag
dul isteach. 'Níl cead ag aon duine
bheith ag caint istigh anseo.'

Suas leo ansin go dtí an deasc. Bhí
bean ard tanaí ina suí ag fanacht leo
agus cé go raibh an focal 'Cúntóir'

scriofa ar chárta beag
os a comhair, bhí cuma
an-chrosta uirthi.

'Bhuel?' ar sise le Máirtín.

'Ba mhaith liom an leabhar seo a
thabhairt ar ais le do thoil,' arsa
Máirtín agus nach é a bhí deas
múinte!

Bhí straois ar Ruairí ag éisteacht
leis ach nuair a chonaic sé an bhean
ag stánadh air ní raibh an straois i
bhfad ag imeacht.

'Tá go maith,' arsa an cúntóir agus thóg sí an leabhar ó Mháirtín. 'Bhfuil tú ag iarraidh ceann eile?'

'Tá,' arsa Máirtín de ghlór beag.

'Faigh ceann mar sin,' ar sise. 'Agus céard fútsa?' ar sise le Ruairí agus í á scrúdú go géar thar a cuid spéaclaí.

'Mise? Ó...níl mise ach ag breathnú,' ar seisean go neirbhíseach.

'Ag breathnú! Ag breathnú!' ar sise agus í fós ag stánadh ar Ruairí. 'Hmm…Tá go maith. Bígí ag imeacht mar sin…'

Anonn leis an mbeirt acu go dtí na leabhair spóirt.

'Féach an ceann seo faoin gcispheil,' arsa Máirtín.

'Tá a fhios agat nach dtaitníonn an chispheil liomsa,' arsa Ruairí os ard.

'Shh,' arsa an cúntóir go crosta.

'Éist do bhéal,' arsa Máirtín le Ruairí agus thug sé sonc dó.

Bhí Ruairí ar tí ceann a thabhairt ar ais dó nuair a thug sé leabhar eile faoi deara.

'Féach an ceann sin ag an mbarr faoin bpeil,' ar seisean.

Suas le Máirtín ar a bharraicíní ach
ní raibh sé in ann greim a fháil air.

'Tá sé ró-ard dom,' ar seisean. 'Fan
go bhfaighfidh mé an stóilín.'

Leis sin chuala siad an glór ón
deasc arís, 'Ciúnas ansin!'

'Sssh!' arsa an bheirt acu lena chéile!

'Coinnigh tusa greim ar an stóilín seo,' arsa Máirtín agus é ag dreapadh suas air.

'Ceart go leor,' arsa Ruairí.

Shín Máirtín é féin go cúramach i dtreo an leabhair ach bhí sé fós beagánín rófhada uaidh.

An chéad rud eile tharla an tubaiste!

'A dhiabhail,' ar seisean, 'tá mé ag titim!'

Agus chríochnaigh sé féin agus an stóilín agus an seastán leabhair ina gcarn ar an urlár!

'Ó bhó, bhó!' arsa Ruairí.

Anall leis an gcúntóir de ruathar chucu agus í ar deargbhuile.

'In ainm Dé,' ar sise, 'céard atá ar siúl agaibh anseo?'

Ach níor thug an bheirt aon aird uirthi.

'Féach céard a rinne tú anois,' arsa Máirtín go crosta le Ruairí.

'Mise?' arsa Ruairí agus fonn troda ag teacht air. 'Tusa a leag iad!'

'Stopaigí an tseafóid seo láithreach,'
arsa an cúntóir agus greim cluaise aici
ar an mbeirt, 'agus glanaigí suas an
praiseach seo go beo!'

'Brón orainn…arsa Máirtín ach bhí sise ag tabhairt íde béil do Ruairí. 'Agus tusa,' ar sise. 'Shíl mé nach raibh tusa ach ag breathnú!'

'Eh…Eh…Eh…' arsa Ruairí.

'Bhuel, tig leat bheith ag breathnú áit éigin eile as seo amach!' ar sise agus ar ais léi go dtí an deasc, áit a raibh scuaine custaiméirí eile ag fanacht agus iontas orthu.

'Tú féin agus do chuid leabhar,' arsa Ruairí go míshásta.

'Muise, dún do chlab agus bí ag obair,' arsa Máirtín.

Tríoña

Tá deirfiúr bheag ag Ruairí. Tríona is ainm di. Cúpla seachtain ó shin shocraigh Mam agus Aintín Nóra dul go dtí an chathair ag siopadóireacht. Fágadh Daid agus Ruairí i bhfeighil an tí agus iad ag tabhairt aire do Thríona.

Anois, cé gur cailín beag í Tríona, is minic a mbíonn sí i dtrioblóid mhór! Agus ní raibh sé i bhfad gur thosaigh an trioblóid. Fad a bhí Daid agus Ruairí ag cruinniú na ngréithe len iad a ní, bhí Tríona ina suí ina cathaoir ard in aice leis an doirteal. Go tobann rug sí ar an mbuidéal ina raibh an sobal níocháin agus dhoirt sí steall mhór isteach san uisce.

Nuair a chas Daid timpeall bhí sobal agus boilgeoga ar fud na háite.

'Bu...Bu...Buidéal!' arsa Tríona.

Thóg Ruairí amach as an gcathaoir í agus d'fhág sé ar an urlár í fad a bhí siad ag glanadh suas.

'Ceart go leor,' arsa Daid. 'Déanfaimid an níochán anois a Ruairí. Tig leatsa cuid de na héadaí sin a lódáil.'

'Tá go maith,' arsa Ruairí. Thaitin sé leis bheith ag cuidiú.

Ní raibh aon duine ag tabhairt aird ar Thríona agus níorbh fhada gur lig sí scairt aisti.

'Seo dhuit do bhábóg,' arsa Ruairí.

'Bá...Bá...Bábóg!' arsa Tríona.

Ach céard a rinne sí ansin? I ngan fhios do Ruairí chaith sí an bhábóg isteach sa mheaisín níocháin. Ansin chuir Daid tuilleadh níocháin isteach ann, dhún sé an doras agus bhrúigh sé an cnaipe.

Thosaigh na héadaí ag dul timpeall agus an bhábóg ina measc.

Ní raibh sé i bhfad go raibh an bhábóg briste ina smidiríní.

Bhí píosaí beaga ag dul timpeall san uisce, lámh anseo agus bróigín ansiúd... Ach ní fhaca Daid ná Ruairí tada.

Go dtí gur stop an meaisín...

'Céard sa diabhal...?' arsa Daid.

'Bá...Bá...Bábóg!' arsa Tríona.

Thóg sé uair an chloig ar Dhaid an meaisín a dheisiú arís agus ansin bhí sé in am dul ag siopadóireacht. Nuair a shroich siad an t-ollmhargadh fuair siad  tralaí mór taobh amuigh den doras agus chuir siad Tríona isteach ann.

Bhí liosta ag Daid agus bhí sé féin
agus Ruairí ag caitheamh na rudaí
isteach sa tralaí agus iad ag dul
timpeall. I ngan fhios dóibh áfach,
bhí Tríona ag caitheamh amach cuid

de na rudaí agus ag cur isteach rudaí eile! Isteach le rud ag Daid…amach leis ag Tríona…agus isteach le rud éigin eile ina áit!

Ó bhó! Faoin am a thug siad faoi deara céard a bhí ag tarlú b'éigean dóibh a leath acu a athrú arís. 'A dhiabhail!' arsa Daid le Tríona agus strainc air. Bhí sé ag éirí an-mhíshásta!

Stop siad ansin chun sos a ghlacadh.

Ach mo léan! Níor thug siad faoi deara an carn mór úlla a bhí díreach in aice leo.

'Ú…Ú…Úlla!' arsa Tríona agus sciob sí ceann den charn. Ar feadh soicind amháin d'fhéach Daid agus Ruairí ar a chéile. Bhí a fhios acu céard a bhí le teacht! An chéad rud eile thug an carn faoi agus d'imigh na húlla ina sruth ar fud na háite.

Chaith Daid agus Ruairí leathuair eile á mbailiú arís agus náire an domhain ar an mbeirt acu. Ach ní raibh náire ar bith ar Thríona ach í ina suí ar a sáimhín só agus í ag ithe léi.

'Ú...Ú...Úlla!' ar sise go sona sásta ó am go chéile.

Nuair a tháinig siad abhaile bhí siad stiúgtha leis an ocras. Réitigh Daid píosa tósta do Thríona chun í a choinneáil ciúin.

'Seo dhuit anois, a Thríona,' arsa Ruairí.

'Tó...Tó...Tósta!' arsa Tríona agus bhain sí plaic mhór as.

Ansin chuaigh Ruairí amach chun cuidiú le Daid na málaí a thógáil isteach ón gcarr. Ach chomh luath agus a d'fhág sé an seomra sháigh Tríona an tósta isteach sa videó. Nuair a tháinig sé ar ais bhí sí ag gáire in ard a cinn agus a méar sínte i dtreo an videó.

'Céard atá déanta anois agat?' arsa
Ruairí agus é ag rith anonn chuici.

'Tó...Tó...Tósta!' arsa Tríona.

Tamall ina dhiaidh sin d'fhill Mam
agus Aintín Nóra agus ardiúmar ar
an mbeirt acu.

'Bhuel?' arsa Mam, 'an raibh lá maith agaibh?'

Ach bhí Daid agus Ruairí trína chéile agus iad ag iarraidh an videó a chur ag obair arís.

'Céard a tharla?' arsa Mam.

'Trí...Trí...Tríona!' arsa Ruairí go míshásta.

Ach bhí Tríona sa chúinne agus í ina 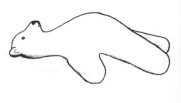 codladh go sámh!

Cáca Milis

Bhí Ruairí sa seomra suite ag breathnú ar chartúin nuair a chuala sé Mamaí ag glaoch air.

'A Ruairí, tá mise ag dul go dtí an gruagaire. An ndéanfaidh tú jaibín beag dom?'

Jaibín? Ní raibh Ruairí ró-chinnte.

'Ceart go leor,' ar seisean. 'Céard é féin?'

'Tar amach anseo agus taispeánfaidh mé duit.'

D'éirigh Ruairí go drogallach agus amach leis go dtí an chistin. Bhí sé ag súil nach jab mór millteach a bhí i gceist aici ar nós an féar a ghearradh nó an tseid a ghlanadh. Bhí seisean ag iarraidh na cartúin a fheiceáil!

Ach rud eile ar fad a bhí i gceist ag Mamaí. Bhí cáca á chur isteach san oigheann aici.

'Tá sé a cúig tar éis a dó anois a Ruairí,' ar sise. 'Féadfaidh tú an cáca seo a thógáil amach ag a trí. Ceart go leor?'

'Ceart go leor, a Mhamaí,' arsa Ruairí.

'Ní dhéanfaidh tú dearmad air?'

'Ní dhéanfaidh.'

'Maith an buachaill. Gheobhaidh

mé rud éigin duit. Beidh mé ar ais ag a cúig. Slán go fóillín.'

'Slán,' arsa Ruairí agus ar ais leis go dtí an teilifís.

Ní raibh sé i bhfad ina shuí nuair a chuala sé duine éigin ag an doras.

Cé a bhí ann ach Máirtín.

'Hé, a Ruairí,' ar seisean, 'tá cluiche sacair thíos sa pháirc. Bhfuil tú ag teacht?'

'Cinnte,' arsa Ruairí. 'Fan go bhfaighfidh mé mo chuid stuif.'

Ní raibh sé i bhfad go raibh Ruairí i lár an aicsin agus dearmad glan déanta aige ar an gcáca! Ag leath am bhí foireann Ruairí chun cinn, a deich a sé, agus bhí sé an-sásta leis féin.

Bhí an lá an-te agus bhí gach duine spalptha leis an tart. D'imigh Séimí go dtí an siopa le haghaidh buidéil oráiste.

Fiche nóiméad ina dhiaidh sin bhí

gach duine fós ina luí ar an bhféar
agus iad ag fanacht le Séimí. Ach ní
raibh tásc ná tuairisc air.

Tar éis tamaillín d'fhéach Máirtín ar
a uaireadóir go mí-fhoighdeach.

'Cá bhfuil sé?' ar seisean. 'Tá sé fiche
chun a ceathair anois!'

'Céard a dúirt tú?' arsa
Ruairí agus shuigh sé suas
díreach. Bhí dath an bháis ar a éadan.

'Céard atá ort, a Ruairí?' arsa
Máirtín.

Ach bhí sé ró-mhall. Bhí Ruairí ag imeacht leis ar a rothar síos an bóthar!

Faoin am ar chaith Ruairí uaidh an rothar taobh amuigh den teach bhí a fhios aige go raibh sé i dtrioblóid mhór. Bhí boladh fíor-aisteach taobh amuigh den chúldoras agus chomh luath agus a d'oscail sé é bhuail scamall dubh deataigh sa smut é.

'Ó bhó!' ar seisean agus isteach leis. D'oscail sé doras na cistine agus na fuinneoga agus ansin, ar deireadh, d'oscail sé an oigheann. Bhí rud éigin dubh dóite san áit inar cheart don cháca a bheith!

Sea, bhí an cáca ina phraiseach agus bhí Ruairí i dtrioblóid. Céard a dhéanfadh sé? Bheadh Mam ar ais taobh istigh de leathuair an chloig!

Ansin bhuail smaoineamh é. Suas leis go dtí a sheomra agus tharraing sé anuas a thaisceadán. D'iompaigh sé bunoscionn ar an 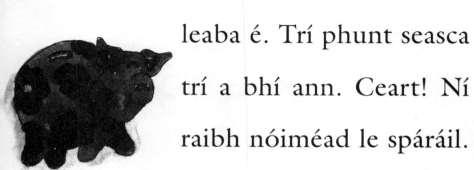 leaba é. Trí phunt seasca trí a bhí ann. Ceart! Ní raibh nóiméad le spáráil.

Síos an staighre arís leis ar nós na gaoithe agus as go brách leis ar a rothar go dtí an siopa.

Bhí sé a deich tar éis a cúig nuair a d'fhill Mam ón ngruagaire. D'oscail sí an doras agus tháinig sí isteach sa seomra suite.

'Céard é an boladh sin?' ar sise.

'Boladh? Cén boladh?' arsa Ruairí.

'Mmm, níl a fhios agam,' arsa Mam. 'Ar thóg tú amach an cáca?'

'Th-Thóg...' arsa Ruairí. 'Tá sé ar an doirteal.'

Bhog Mam isteach sa chistin agus Ruairí lena sála.

'Maith an buachaill,' ar sise agus d'ardaigh sí an claibín chun an cáca a fheiceáil. Sheas sí nóiméad ag breathnú air.

'C...Céard é seo?' ar sise ar deireadh.

'Is...cáca é,' arsa Ruairí.

'Tá a fhios agam é sin,' arsa Mam, 'ach ní shin an cáca a réitigh mise. Is cáca milis é seo.' Agus d'fhéach sí go géar ar Ruairí.

'Bh...Bhuel...Bhí sórt timpiste ann,' ar seisean, 'agus b'éigean dom an ceann sin a fháil...Ach d'íoc mé féin as.'

Bhí Ruairí chomh buartha sin nach bhfaca sé gur ag iarraidh an gáire a choinneáil istigh a bhí Mam. Leis sin d'oscail an doras agus tháinig Daid isteach.

'Cén scéal?' ar seisean.

'Diabhal scéal a Dhaid,' arsa Ruairí go neirbhíseach. Chrom Mam síos agus d'oscail sí claibín an

channa bruscair. Idir méar amháin
agus ordóg léi thóg sí amach a raibh
fágtha dá cáca féin.

'Is buachaill cliste thú gan dabht a
Ruairí,' arsa Mam agus an rud dóite
á chaitheamh ar ais sa channa aici,
'ach uaireanta bíonn tú beagáinín
ró-chliste.'

D'fhéach Daid ar an mbeirt acu ar feadh soicind amháin agus ansin chaoch sé súil ar Ruairí.

'Nach cuma anois?' ar seisean. 'Beidh féasta againn.'

Agus bhí!